MALI

I Nel ac Ynyr, ac er cof am Mam-gu Bal.

Argraffiad cyntaf: 2019
© Hawlfraint Gwawr Edwards a'r Lolfa Cyf., 2019
© Hawlfraint lluniau Ali Lodge

Dymuna'r cyhoeddwyr gydnabod cymorth ariannol Cyngor Llyfrau Cymru.

Rhif llyfr rhyngwladol: 978 1 78461 724 0

Cyhoeddwyd ac argraffwyd yng Nghymru
gan Y Lolfa Cyf., Talybont, Ceredigion, SY24 5HE
e-bost: ylolfa@ylolfa.com
y we: www.ylolfa.com
ffôn: 01970 832304
ffacs: 01970 832782

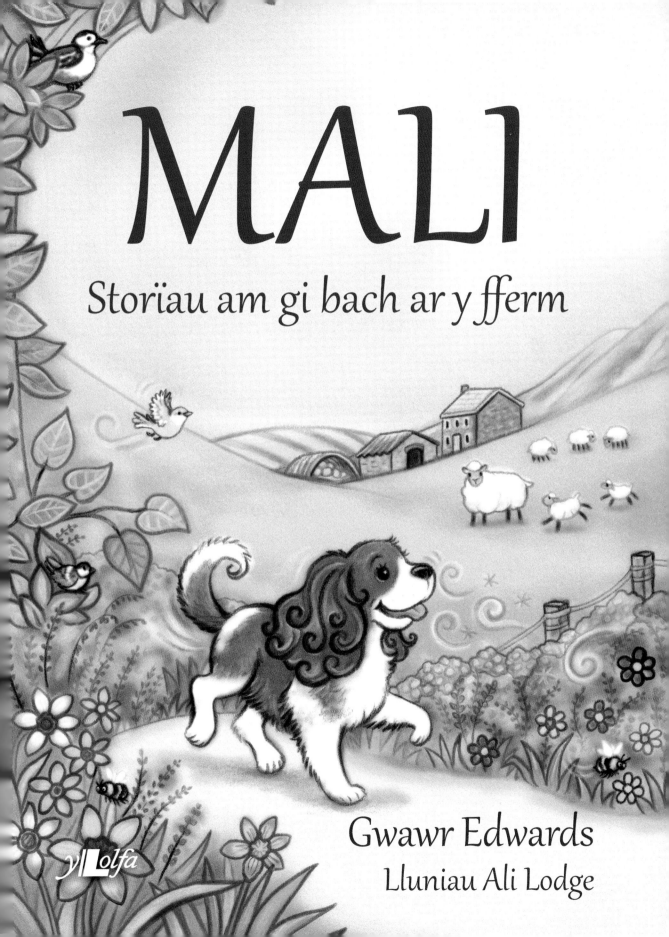

MALI

Storïau am gi bach ar y fferm

Gwawr Edwards

Lluniau Ali Lodge

y Lolfa

CYNNWYS

GWANWYN

Mali ar y fferm

Deffrodd Mali gyda thoriad y wawr.
Roedd hi'n fore braf o wanwyn, a'r haul
yn disgleirio yn yr awyr las. Roedd Mali wrth
ei bodd yn mynd am dro bob bore i gael awyr
iach ac i gael sgwrs gyda holl anifeiliaid y
fferm. Roedd hi'n amser wyna ac roedd nifer o
ŵyn bach yn prancio yn y caeau.
Heddiw, roedden nhw wedi penderfynu cynnal
diwrnod mabolgampau, felly bant
â Mali i fusnesa.

Ar ei ffordd, gwelodd Mali Sara'r sgwarnog yn ei dillad chwaraeon, yn canu'n braf: *"Daw hyfryd fis Mehefin cyn bo hir…"*

"Bore da, Sara, dyna gân fach hyfryd!"

"Bore da, Mali. Dwi newydd glywed y gwcw'n canu am y tro cyntaf eleni, ac mae gen i arian yn fy mhoced, sydd yn golygu y bydd arian yn fy mhoced drwy'r flwyddyn! Hwrê!"

"Wel, dyna lwc dda!" meddai Mali. "I ble wyt ti'n mynd ar frys?"

"Mae'n ddiwrnod mabolgampau'r ŵyn bach," meddai Sara yn gyffrous. "Dere glou, cyn iddyn nhw ddechrau."

Ar y buarth, roedd Twm y tarw yn chwarae pêl-droed gyda Pero a Del, y cŵn defaid.

"Dewch i chwarae!" meddai Twm.

"Wel, diolch am y cynnig, Twm, ond rydyn ni ar ein ffordd i weld yr ŵyn bach. Maen nhw'n cynnal diwrnod mabolgampau yn y cae!" atebodd Mali.

"Www, mae hynna'n swnio'n hwyl! Gawn ni ddod?" gofynnodd Del.

"Wel, cewch siŵr," atebodd Mali.

"Maaali, Maaali," brefodd Osian yr oen wrth weld Mali'n cyrraedd.

"Bore da, ŵyn bach, mae'n ddiwrnod braf ar gyfer mabolgampau."

"Ydy, Mali, dere i ymuno â ni yn y ras!"

Chwarddodd Mali. "Iawn, Osian! Dewch i weld pwy all redeg gyflyma. Bant â niiiii…"

Roedd Mali allan o wynt yn llwyr. Roedd yr ŵyn bach i gyd yn gynt na hi!

Daeth Parddu'r gath i'r golwg gyda Siân a Wil – yr hwyaden a'r barlat. Chwarddodd Parddu a gwneud hwyl am ben Mali am ei bod hi allan o wynt ac yn olaf yn y ras!

Edrychodd Sara'n siomedig ar Parddu, a dweud,

"Cymryd rhan sy'n bwysig, nid ennill bob tro. Mae gan bawb eu cryfderau a'u gwendidau. Cofia, all pysgodyn ddim dringo coed fel ti, ac alli dithau ddim nofio fel pysgodyn! Mae pawb yn wahanol."

"Dwi am fynd ar y trampolîn!" meddai Twm y tarw, gan geisio newid y pwnc.

Neidiodd Twm ar ben y trampolîn.

Lan a lawr, lan a lawr, lan a…

"O na, Twm," meddai Siân. "Rwyt ti wedi torri'r trampolîn!!"

A chwarddodd pawb yn hapus – gan gynnwys Twm.

Yn sydyn, cafodd Pero a Del alwad gan Marged, y ffermwraig, i ddweud bod dafad ar fin geni oen bach, ac roedd angen eu help!

"Mae'n rhaid i ni fynd i helpu," meddai Pero.

"Gawn ni ddod hefyd?" gofynnodd Mali.

"Wrth gwrs," atebodd Pero.

Felly, bant â nhw. Ond dyna syndod! Roedd yr oen bach yn ddu o'i gorun i'w draed!

Wel, yn wir, y mae'n beth syn,

Gweld oen bach du a'i fam yn wyn!

"Miaaaaw! Mae'n dechrau bwrw glaw," cwynodd Parddu gan geisio cysgodi rhag iddi wlychu. "Dwi ddim yn hoffi glaw."

"Dim ond cawod fechan yw hi," meddai Pero.

"Edrych!" bloeddiodd Sara. "Enfys!"

"*Ebrill, tywydd teg a ddaw*
Gydag ambell gawod law," adroddodd Mali.

"Rwyt ti'n llawn dywediadau diddorol," meddai Sara, a dechreuodd y ddwy ganu 'Cân yr Enfys'.

Erbyn hyn roedd yr haul yn dechrau machlud, a daeth Dilys, mam Osian, i alw arno i gael swper.

"Iawn, Mam, dwi'n dod. Diolch am ddiwrnod llawn hwyl a sbri," meddai Osian wrth Mali.

"Nos da, Osian, welwn ni di fory," meddai Mali yn flinedig. "Mae'n well i ni ei throi hi am adre hefyd."

"Dere i ni gael casglu blodau ar y ffordd adre," meddai Sara.

"Syniad campus!" meddai Mali. "Mmm, dwi'n gallu gwynto'r eithin – fy hoff arogl yn y gwanwyn."

Roedd pawb wedi cael diwrnod wrth eu bodd yn chwarae a chael hwyl. Rhaid cofio bod pawb yn dda am wneud rhywbeth a bod pob un yn y byd yn wahanol. Gwneud ein gorau glas sy'n bwysig, a mwynhau pob camp, wrth gwrs!

HAF

Picnic pen-blwydd Mali

Deffrodd Mali'n gyffrous. Roedd hi'n ddiwrnod ei phen-blwydd, ac yn fore braf o haf.

Roedd Mali a'i ffrindiau wedi penderfynu cael picnic ac roedd angen siopa bwyd. Felly, bant â Mali i'r dre gyda'i rhestr siopa.

"Mali, Mali!" gwaeddodd Sara'r sgwarnog wrth weld Mali yn mynd i'r dre. "Wyt ti'n mynd i siopa? Ga i ddod gyda ti?"

"Wrth gwrs," meddai Mali. "Bydd angen dy help i gario'r holl fwyd! Mae angen bara, caws a jam er mwyn gwneud brechdanau, sudd oren, cacennau bach hufen, creision, bisgedi siocled… Ymmm, unrhyw beth arall?"

"Treiffl!" meddai Sara. "Rhaid cael treiffl, dyna hoff bwdin Twm y tarw!"

"Da iawn, Sara. Bydd Twm wrth ei fodd dy fod wedi cofio am ei hoff bwdin!"

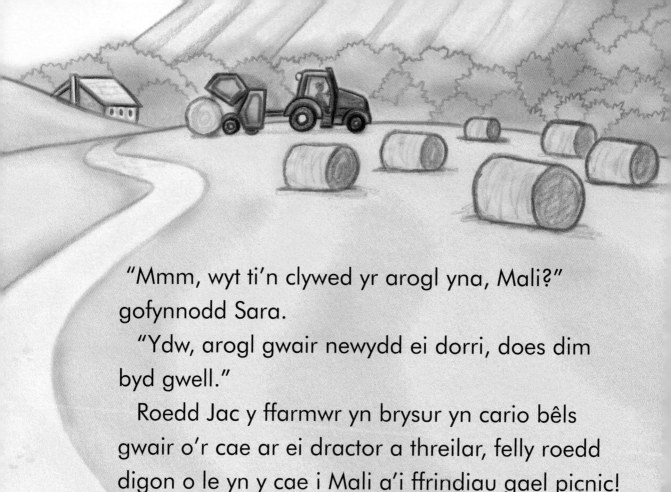

"Mmm, wyt ti'n clywed yr arogl yna, Mali?" gofynnodd Sara.

"Ydw, arogl gwair newydd ei dorri, does dim byd gwell."

Roedd Jac y ffarmwr yn brysur yn cario bêls gwair o'r cae ar ei dractor a threilar, felly roedd digon o le yn y cae i Mali a'i ffrindiau gael picnic!

Wrth i Mali a Sara gyrraedd y dre, dyma nhw'n gweld Dilwyn y draenog yn ceisio croesi'r ffordd. Rhedon nhw ato i gynnig help llaw.

"Ydych chi'n iawn, Dilwyn?" gofynnodd Sara.

"Wel, dwi'n hen ac yn drafferthus, ac mae cerdded yn boenus!" atebodd Dilwyn.

"Gadewch i ni eich helpu chi," meddai Mali. "Fe awn ni i nôl eich nwyddau chi o'r siop os gawn ni'r rhestr. Eisteddwch chi i lawr yn fan'na."

"O, Mali a Sara, rydych chi'n garedig tu hwnt!"

Gwenodd Sara, a dweud, "Mae'n deimlad braf gallu helpu pobol."

"Ydy wir, mae'n bwysig ein bod ni'n helpu pobol bob amser," atebodd Mali.

Aeth Mali a Sara i mewn i'r siop i brynu eu
negeseuon.

"Bore da, Mali a Sara," meddai Mrs Morgan.
"Beth sy'n dod â chi i'r siop ar fore braf fel hyn?"

"Rydyn ni'n cael picnic pen-blwydd gyda'n
ffrindiau heddiw," atebodd Mali'n llon, "ac rydyn ni
hefyd angen llaeth a bara i Dilwyn y draenog. Rydyn
ni eisiau prynu bara, caws, jam, sudd oren,
cacennau bach hufen, creision, bisgedi siocled…"

"… a threiffl!" bloeddiodd Sara.

"Wel, am wledd!" meddai Mrs Morgan. "A
chwarae teg i chi am helpu Dilwyn."

"Iym iym iym, dwi eisiau bwyta'r wledd yma i gyd
– nawr!!" meddai Sara gan neidio i fyny ac i lawr
mewn cyffro.

Sbonciodd Sara a Mali allan o'r siop a rhoi llond
basged o fwyd i Dilwyn.

"Dyma chi, Dilwyn. Ydych chi eisiau ymuno â ni
am bicnic pen-blwydd?"

"Wel, am wahoddiad hyfryd. Baswn i wrth fy
modd," atebodd Dilwyn yn ddiolchgar.

Cyrhaeddodd y tri yn ôl i'r cae lle roedd eu ffrindiau wedi bod yn brysur iawn yn paratoi ar gyfer y picnic pen-blwydd. Ymgasglodd pawb o gwmpas y flanced bicnic i fwynhau'r wledd o'u blaenau.

"Wawiiii!" meddai Mali mewn syndod, o weld bod pawb wedi gwneud cymaint o ymdrech ar gyfer ei phen-blwydd.

"Pen-blwydd hapus, Mali!" bloeddiodd pawb gan gyflwyno cacen ben-blwydd enfawr iddi.

"Mmmmm, am wledd!" meddai Twm wrth weld yr holl fwyd oedd gan Mali a Sara.

"Rydyn ni wedi cael treiffl i ti hefyd, Twm," meddai Sara'n falch.

"O, diolch Sara, fy hoff bwdin!"

Roedd Twm y tarw wrth ei fodd!

"Beth am i ni wisgo lan?" awgrymodd Blodwen y fuwch.

Roedd pawb wrth eu bodd yn gwisgo dillad ffansi, yn enwedig Mali a oedd wedi cael gwisg tywysoges newydd sbon, a choron ar ei phen! Roedd hi'n teimlo fel tywysoges go iawn!

"Mae un syrpréis bach arall gyda ni i ti," meddai Pero'r ci. "Rydyn ni wedi cyfansoddi cân arbennig ar gyfer dy ben-blwydd di, Mali. Barod, bawb?"

Neidiodd pawb ar eu traed a dechrau canu.

Allan o'r pridd, cododd Gwilym y wahadden ei ben yn gysglyd.

"Beth yw'r holl sŵn 'ma?" gofynnodd Gwilym.

"Parti pen-blwydd Mali!" bloeddiodd pawb. "Dere i ymuno â ni."

Roedd pawb wrth eu bodd yn canu a dawnsio.

"Mae gen i syniad arall," meddai Sara'n gyffrous. "Beth am fynd i'r traeth i gael hufen iâ a gêm o bêl-droed i orffen y diwrnod?"

"Ieee!" cytunodd pawb.

"Mae'n rhy hwyr i mi," meddai Dilwyn y draenog yn flinedig. "Dwi'n mynd adre i fy ngwely."

"Ond dyw hi ddim yn nos eto," meddai Mali.

"*Mis Gorffennaf, wybren glir,*

Haul ar fryn a dyddiau hir," adroddodd.

"Ti'n iawn, Mali, ond mae hen ddraenog fel fi angen gwely cynnar, cofia. Diolch am y gwahoddiad i dy barti, fe wnes i fwynhau mas draw," a throdd Dilwyn am adre.

"Hwyl fawr, Dilwyn," meddai pawb.

A bant â nhw i'r traeth.

"Am ddiwrnod pen-blwydd perffaith!" meddai Mali'n hapus. "Diolch i chi i gyd! Mae'n braf cael treulio amser gyda ffrindiau a phawb yn helpu ei gilydd."

HYDREF

Diolch, Mali!

Ar fore hyfryd o hydref, neidiodd Mali o'i gwely ac edrych allan drwy'r ffenest.

Roedd dail y coed yn werth eu gweld. Coch, oren, melyn a brown – roedd lliwiau'r hydref yn bictiwr.

Brysiodd i fwyta ei brecwast, ac allan â hi am dro i gael awyr iach.

"A'r Hydre'n aeddfedu yr eirin a'r cnau,
A'r nos yn barugo a'r dydd yn byrhau."

Wrth gerdded i lawr y lôn, gwelodd Mali ferlen fach yn pori yn y cae.

"Bore da," meddai Mali. "Dwi ddim wedi dy weld di o'r blaen. Pam wyt ti'n edrych mor drist?"

"Carlam ydw i. Dwi newydd symud yma, a dwi'n teimlo braidd yn unig achos dwi ddim yn nabod neb."

"O, paid â theimlo'n unig. Mali ydw i. Dere, mae'n rhaid i ti gwrdd â fy ffrindiau," meddai Mali'n gyffrous.

Roedd Mali wrth ei bodd yn gwneud ffrindiau newydd.

Gwelodd Carlam a Mali Sara a Parddu yn brysur yn pobi.

"Iw-hw, Mali!" gwaeddodd Sara. "Rydyn ni'n gwneud tarten a chrymbl o'r mwyar wnaethon ni eu casglu ym mis Medi, ac yn coginio cawl yn llawn o lysiau'r cynhaeaf."

"Mmm, blasus iawn," meddai Mali. "Cofiwch wneud digon, achos mae ffrind newydd gyda ni heddiw. Dyma Carlam, mae hi newydd symud yma, ac eisiau gwneud ffrindiau newydd."

"Wrth gwrs," meddai Sara. "Bydd digon i bawb!"

Teimlai Carlam yn hapus. Roedd Mali wedi gwneud iddi deimlo'n gartrefol yn syth yng nghwmni ei ffrindiau.

"Mae tân gwyllt yn y pentref heno. Dere gyda ni," meddai Mali. "Ar ôl y tân gwyllt, fe gawn ni gawl a tharten fwyar flasus i swper. Wyt ti am ddod?"

"Ydw, syniad da," meddai Carlam yn gyffrous.

Roedd hi'n edrych ymlaen yn fawr at gwrdd â gweddill ffrindiau Mali.

Dechreuodd pawb ymgasglu yn y cae yn barod ar gyfer y tân gwyllt. Roedd Carlam yn gyffrous tu hwnt, ac roedd pawb yn groesawgar. Sylwodd Mali fod pawb heblaw Dilwyn y draenog wedi cyrraedd.

"Oes rhywun wedi gweld Dilwyn?" gofynnodd Mali.

"Dwi'n siŵr fod Dilwyn wedi mynd i gysgu dros y gaeaf," meddai Sara.

"Cysgu?!" gofynnodd Parddu.

"Ie, mae draenogod yn cysgu dros y gaeaf tan tua mis Mawrth," meddai Sara.

"Wel, dyna braf!" meddai Parddu.

Roedd y tân gwyllt ar fin dechrau pan sylwodd Mali ar rywbeth crwn a phigog yn gorwedd yn agos iawn at y goelcerth.

"Arhoswch!" bloeddiodd Mali. "Edrychwch, Dilwyn yw e!"

Rhedodd pawb draw i ddeffro Dilwyn.

"Deffra, deffra, Dilwyn!" galwodd pawb.

Rholiodd Dilwyn ac agor ei lygaid cysglyd mewn braw.

"Roedden ni ar fin cynnau'r tân, ac fe welon ni belen bigog yn cysgu'n agos at y goelcerth!" esboniodd Mali.

"O'r mawredd mawr!" meddai Dilwyn mewn braw. "Diolch, bawb. Ro'n i'n cysgu'n braf!"

"Bydd yn ofalus ble ti'n gwneud dy wâl tro nesaf!" meddai Mali wrth Dilwyn. "Nawr fod pawb yn ddiogel, gallwn ni ddechrau cynnau'r tân gwyllt."

"Waw, am liwiau bendigedig!" meddai Carlam. "Dwi erioed wedi gweld tân gwyllt mor brydferth."

"Dwi wedi dod â sparclyrs," meddai Wil.

Tynnodd fatsien allan, cynnau sparclyr a'i chwifio i wneud siapiau prydferth yn yr awyr.

Ochneidiodd pawb mewn rhyfeddod a syndod. Ond yn sydyn, dyma sgrech fawr...

39

"Cwaaaaac, dwi wedi llosgi fy mhig. Cwaaaaaac!" ebychodd Wil.

"O, na!" sgrechiodd Siân mewn braw. "Mae Wil wedi cael dolur."

Roedd afon fach gerllaw, a mynnodd Mali fod Wil yn rhoi ei big yn y dŵr i'w oeri.

"Fe ddylet ti fod yn gwybod yn well na chwarae gyda matsys a sparclyrs, Wil. Rwyt ti'n wirion iawn, a nawr mae'r chwarae wedi troi'n chwerw," meddai Mali'n flin.

Edrychodd Wil yn drist. Roedd e wedi cael dolur ar ei big, ac wedi cael stŵr gan Mali!

"Beth am i ni fynd adre i gael cawl a tharten fwyar i swper?" awgrymodd Sara.

"Dwi'n clemio," meddai Twm. "Dwi wedi bod yn edrych mlaen am y darten fwyar drwy'r dydd!"

"Dyma beth yw gwledd!" meddai Carlam. "Diolch yn fawr am y gwahoddiad, Mali. Mae'n gyfnod diolchgarwch, ac rydw i'n ddiolchgar iawn i ti am gael cwrdd â dy ffrindiau, ac i bawb am y croeso."

"Diolch i ti, Carlam. Hei, beth am i bob un ohonon ni enwi un peth rydyn ni'n ddiolchgar amdano eleni?" awgrymodd Mali.

"Syniad da," meddai Twm. "Dwi'n ddiolchgar am y cynhaeaf ac am gael yr holl fwyd blasus yma i'w fwyta."

"Dwi'n ddiolchgar am gael to uwch fy mhen bob nos," meddai Parddu.

"Dwi'n ddiolchgar am gael caeau gwyrdd i bori," meddai Blodwen.

"Am gael llygaid i werthfawrogi harddwch natur," meddai Sara.

"Am gael adenydd i hedfan," meddai Siân a Wil yn gytûn.

"Am gael byw mewn ardal mor hyfryd," meddai Dilys y ddafad.

"A dwi'n diolch am gael ffrindiau da fel chi," ychwanegodd Mali. "Mae'n bwysig bod yn ddiolchgar a chyfri'n bendithion bob dydd. Hyd yn oed os ydyn ni wedi cael diwrnod gwael neu os ydyn ni'n teimlo'n drist, mae bob amser rhywbeth i fod yn ddiolchgar amdano."

"Gan ei bod yn amser diolchgarwch, beth am baratoi bocs o fwyd i'w anfon at rai llai ffodus na ni – rhai sydd heb do uwch eu pennau, rhai sydd heb ffrindiau neu heb fwyd?" meddai Sara.

"Ie, syniad da!" cytunodd pawb.

Aeth pawb ati i lenwi'r bocs â llysiau a ffrwythau, a chanu caneuon diolchgarwch gyda'i gilydd.

GAEAF

Mali yn yr eira

Pan ddeffrodd Mali ac edrych allan drwy'r ffenest, gwelodd garped gwyn o eira yn gorchuddio popeth. Cafodd dipyn o sioc – doedd neb wedi disgwyl eira!

Roedd Mali a'i ffrindiau wedi trefnu i fynd i ganu carolau yn y pentref heddiw, ond ar ôl gweld y tywydd, roedd hi'n poeni na fedren nhw fynd!

Mentrodd allan ond doedd dim sôn am ei ffrindiau. Ble roedd pawb?

Wrth iddi gerdded at y buarth, clywodd sŵn mawr yn dod o sied y gwartheg. Yno roedd Pero, Del, Dilys a Blodwen yn cael trafodaeth.

"Beth sydd wedi digwydd?" gofynnodd Mali.

"Mae pob dim wedi rhewi," atebodd Pero.

"Does dim dŵr i ni yfed," meddai Blodwen.

"Na phorfa i ni fwyta," ychwanegodd Dilys.

"Beth wnawn ni?" gofynnodd Blodwen yn bryderus.

"Dim ond un peth sydd i'w wneud," meddai Del. "Bydd rhaid i ni geisio dadleth y dŵr sydd yn y powlenni."

Rhedodd Mali i nôl dŵr poeth o'r tap yn sinc y gegin a'i arllwys dros y pibau rhewllyd.

"Hwrê!" brefodd Blodwen. "Mae'r dŵr yn llifo unwaith eto. Diolch byth, dwi bron tagu o syched!"

"Ond beth am y borfa? Mae'r caeau i gyd o'r golwg o dan yr eira!" llefodd Dilys.

"Dwi'n siŵr daw Jac y ffarmwr â bêls o silwair i chi cyn bo hir. Wnaiff Jac ddim gadael i chi lwgu, peidiwch â phoeni!" meddai Del.

Wrth i Mali gerdded tuag at y cae, gwelodd Carlam a Sara yn adeiladu dyn eira mawr, a Twm a Parddu'n taflu peli eira!

"Edrych ar yr holl eira, Mali," meddai Sara'n gyffrous. "Gawn ni hwyl yn chwarae yn yr eira heddiw!"

"Mae hyn yn hwyl, ond gobeithio y daw Jac â silwair cyn hir," meddai Carlam.

"Ie, wir," meddai Twm. "Dwi heb gael fy mrecwast eto!"

Yn sydyn, clywodd Mali sŵn siarad yn dod o'r goeden.

"Sh, beth yw'r sŵn yna?" gofynnodd Mali. "Rhywun yn siarad."

Neidiodd wiwer fach oddi ar gangen y goeden. Roedd hi'n siarad â hi ei hunan wrth dwrio yn y dail.

"Ble guddies i'r holl fwyd yna? Dwi'n siŵr mai o gwmpas y goeden yma'n rhywle..."

"Helô," meddai Mali, "a phwy wyt ti 'te?"

Ond roedd y wiwer yn rhy brysur yn twrio i glywed Mali'n siarad.

"Edrych," meddai Sara, "mae'r wiwer yn chwilio am ei bwyd. Mae hi wedi bod yn glyfar iawn a chuddio bwyd ar gyfer y gaeaf!"

"O, pam na faswn i wedi meddwl am hynna?" gofynnodd Twm. "Dyna beth yw syniad da."

"Does dim angen i ni wneud hynna!" chwarddodd Parddu. "Rydyn ni'n lwcus bod bwyd ar gael i ni drwy gydol y flwyddyn. Dim ond rhai anifeiliaid fel y wiwer sydd angen cuddio bwyd ar gyfer y gaeaf."

"Hy!" ebychodd Twm. "Dydy hynna ddim yn wir heddiw. Does dim bwyd i gael i ni yn unman."

Cododd y wiwer ei phen

"O, helô," meddai. "Mae'n ddrwg gen i, wnes i ddim eich gweld chi yn fan'na. Dwi'n chwilio am fy nghnau, a dwi'n methu'n lân â chofio ble wnes i eu cuddio. Mae 'nghof i'n mynd yn waeth bob blwyddyn!"

"Wyt ti eisiau help?" gofynnodd Mali.

"O, diolch," atebodd y wiwer.

Ac aeth pawb ati i chwilio am y cnau.

"Rhain yw dy gnau di?" gofynnodd Sara.

"Ieeeee!" meddai'r wiwer fach yn llon. "Ydych chi eisiau rhai?"

Roedd Twm ar fin neidio am y cnau pan dorrodd Mali ar ei draws.

"Na, Twm, bwyd y wiwer yw'r rheina," meddai. "Mae hi wedi bod yn brysur yn hel y cnau i'w cadw tan y gaeaf."

"Gan eich bod chi wedi fy helpu i ddod o hyd iddyn nhw, dwi'n fodlon rhannu fy mwyd gyda chi!" meddai'r wiwer.

"O, diolch," meddai Twm, yn hynod o hapus o gael cynnig bwyd bob amser. "Rwyt ti'n garedig iawn."

A bwytodd Twm y cnau yn awchus, nes bod ei fochau'n llawn.

"Oes rhywun wedi gweld Siân a Wil?" gofynnodd Mali.

"Na," meddai Sara yn ofidus. "Beth am i ni fynd i chwilio amdanyn nhw?"

Neidiodd Parddu ar gefn Carlam am ei bod yn cael trafferth i gerdded yn yr eira, ac aethant drwy'r caeau gwyn i lawr at y llyn. Roedd dŵr y llyn hefyd wedi rhewi'n gorn.

Dechreuodd Mali adrodd:

"Wyt Ionawr yn oer a'th farrug yn wyn,
A pha beth a wnaethost i ddŵr y llyn?"

Roedd Siân a Wil yn sglefrio ar y llyn.

"Dewch i sglefrio gyda ni!" gwaeddodd Wil.

"Dwi ddim yn gallu sglefrio," meddai Twm yn drist.

"Wrth gwrs dy fod di. Rho'r rhain am dy draed," meddai Siân gan gynnig sgidiau sglefrio iddo.

Erbyn hyn, roedd pawb arall wedi dod i weld beth oedd yn digwydd.

"Beth am i bawb i nôl sgidiau sglefrio?" meddai Sara yn llawn cyffro. "Dewch i sglefrio ar y llyn."

"Yyymmm, beth os bydd y rhew yn torri? Mae'n gallu bod yn beryglus. Dwi ddim yn gallu nofio," meddai Parddu'n bryderus.

"Paid â phoeni," meddai Carlam. "Aros ar fy nghefn i."

Roedd pawb wrth eu bodd yn sglefrio ar y llyn ac roedd Del yn gwneud campau clyfar drwy neidio a throelli drwy'r awyr!

"O na! Ydych chi'n cofio ein bod ni fod i fynd i ganu carolau?" meddai Mali.

Roedd pawb wedi bod mor brysur yn dadleth y dŵr, chwilio am fwyd, a chael hwyl yn sglefrio ac adeiladu dynion eira, roedden nhw wedi anghofio am y canu carolau!

"Dewch, bydd pawb yn disgwyl amdanon ni," meddai Mali.

"Dwi'n hoffi'r eira, mae'n hwyl adeiladu dyn eira a sglefrio ar yr iâ," meddai Sara.

"Ydy, mae'n hwyl," meddai Mali, "ond cofia, mae'r eira'n gallu creu trafferth hefyd."

"Ydy, rwyt ti'n iawn, Mali. Dim dŵr i'w yfed," meddai Blodwen.

"Na bwyd i'w fwyta!" meddai Twm

"Mae hynna'n wers bwysig," meddai Sara. "Dydy popeth sy'n edrych yn hardd ddim bob amser yn fêl i gyd. Weithiau, mae rhywbeth sy'n hwyl i un yn hunllef i rywun arall."

"Gwers bwysig i'w chofio," meddai Mali.

A dechreuodd pawb ganu carolau a meddwl am y Nadolig.

MALI

Mali, Mali, ffrind i ti a fi,
Chwarae drwy'r dydd, mae hi'n hapus ei byd.
Mali, ein ci bach ni.

Ar ôl deffro yn y bore yn gyffro i gyd
Mae ei chynffon fach yn siglo wrth fynd i lawr y stryd.
Ar ôl dawnsio i'r chwith a jeifio i'r dde
Mae'n amser nawr i fynd adre tua thre.

Mali, Mali, ffrind i ti a fi,
Chwarae drwy'r dydd, mae hi'n hapus ei byd.
Mali, ein ci bach ni.

Chwarae yn y bore, chwarae yn y pnawn.
Chwarae drwy'r dydd, dyna hwyl a gawn.
Pawen lawen i bawb yn eu tro
A'i chyfarth iach sy'n atseinio drwy'r fro.

Mali, Mali, ffrind i ti a fi,
Chwarae drwy'r dydd, mae hi'n hapus ei byd.
Mali, ein ci bach ni.

CÂN YR ENFYS

Enfys, holl liwiau'r enfys.
Enfys, holl liwiau'r enfys.
Coch, oren, melyn a gwyrdd,
Glas, porffor, fioled.

Bwa'r arch y bore, aml gawode.
Bwa'r arch y pnawn, tywydd teg a gawn.
Bwa'r arch yr hwyr, cuddio'r glaw yn llwyr.

Enfys, holl liwiau'r enfys.
Enfys, holl liwiau'r enfys.
Coch, oren, melyn a gwyrdd,
Glas, porffor, fioled.

Dewch i chwilio'r trysor ar ddiwedd yr enfys.
Maen nhw'n dweud fod hud a lledrith draw dros yr enfys.
Cydiwn law yn llaw, awn dan bont y glaw.

Enfys, holl liwiau'r enfys.
Enfys, holl liwiau'r enfys.
Coch, oren, melyn a gwyrdd,
Glas, porffor, fioled.

Y GWANWYN

Gwanwyn ddaw ar ôl y gaeaf llwm,
A'r ŵyn bach sydd yn prancio yn y cwm.
Plant bach Cymru sydd yn canu
Wrth i ni ddathlu Dydd Gŵyl Dewi,
Canwn gân o fawl pan ddêl y tymor hwn.

Nythu nawr y mae yr adar mwyn,
Y gwcw sydd yn tiwnio yn y twyn,
Briallu Ebrill sydd yn agor,
Clychau'r gog fel carped porffor,
Blodau'r eithin sydd fel persawr yn y llwyn.

Hyfryd yw croesawu mis y mêl,
Hirddydd haf sy'n dyfod doed a ddêl,
Troi y cwysi cyn hau'r hadau,
Gwres yr haul yn aeddfedu'r cnydau,
Ffermwyr yn amaethu,
Sy'n ein cadw rhag newynu,
Dyna yw ysblander mis y mêl.
Prydferthwch a gogoniant mis y mêl.
Diolch am ffrwythlondeb fis y mêl.

PICNIC HAF

Mam sy'n bwyta brechdan a Dad sydd yn pendwmpian
Â'i geg ar led wrth gysgu.
Fy mrawd yn chwarae cuddio a finnau'n bolaheulo
A neb yn sôn am wely.
Mam-gu sy'n bwyta jeli, Dad-cu sy'n adrodd stori
Am helyntion slawer dydd.
Dyna hwyl a gawn, gwledda drwy'r prynhawn
A phawb yn hapus iawn eu byd.

O, mae'n braf yn yr haf, picnic ar ben y bryn.
Dyddiau hir, a'r awyr las yn glir.
Beth yn wir sy'n well na hyn?

Byw yn y wlad pan fo'r tywydd yn braf,
Does unlle gwell ar wyneb daear.
Byw yn rhydd ar flas y pridd a gwrando ar yr adar yn trydar.
Gweld y lloer uwchben a'r sêr yn y nen,
Clywed hwtian gwdihŵ.
Y gog yn canu'n y llwyn a chri'r gylfinir mor fwyn.
O, mae'n braf cael byw yn y wlad.

O, mae'n braf yn yr haf, picnic ar ben y bryn.
Dyddiau hir, a'r awyr las yn glir.
Beth yn wir sy'n well na hyn?

DIOLCH

"Diolch," meddai'r sgwarnog am yr awyr las.
"Diolch," meddai'r fuwch am y borfa fras.
"Diolch," meddai'r gath am ei chartref clyd.
"Diolch," meddai'r hwyaid am gael hedfan fry.

Cytgan:
Mae'n bwysig iawn dweud diolch
Am y pethau gawn bob dydd.
Cofiwch, da chi, am ddweud diolch,
Diolch, diolch, diolch i ti.

Diolch i'n rhieni am ein caru ni.
Diolch i'n hathrawon am ein dysgu ni.
Diolch wnawn i'r ffermwr am ein bwydo ni.
Diolch Dduw am Gymru, ein gwlad fach ni.

Diolch am gael heulwen ac am wynt a glaw.
Diolch am gael ffydd drwy bob storom a ddaw.
Diolch am gael sêr yn ein ffurfafen ni.
Diolch i Ti, Dduw, am greu ein byd bach ni.

y Lolfa

www.ylolfa.com